# Street Atlas of
# NEWBUR[...]

C000004046

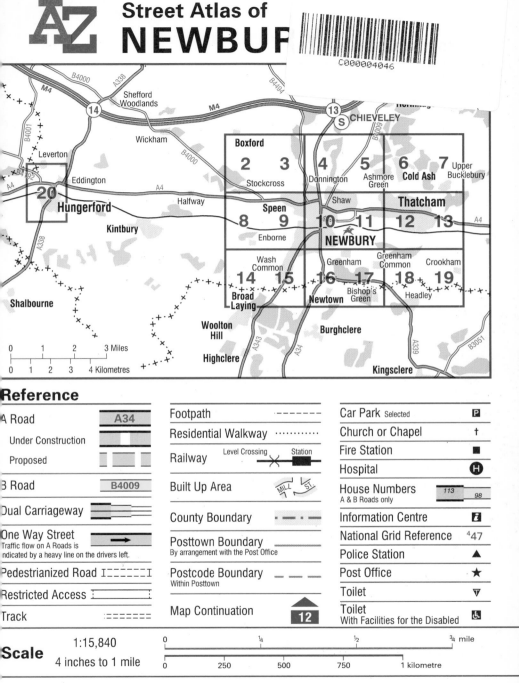

## Reference

| | | | |
|---|---|---|---|
| A Road | A34 | Footpath | ------- |
| Under Construction | | Residential Walkway | ·········· |
| Proposed | | Railway  Level Crossing  Station | |
| B Road | B4009 | Built Up Area | |
| Dual Carriageway | | County Boundary | |
| One Way Street | → | Posttown Boundary | |
| Traffic flow on A Roads is indicated by a heavy line on the drivers left. | | By arrangement with the Post Office | |
| Pedestrianized Road | I======I | Postcode Boundary  Within Posttown | |
| Restricted Access | | Map Continuation | 12 |
| Track | | | |

Car Park Selected 🅿

Church or Chapel †

Fire Station ■

Hospital Ⓗ

House Numbers A & B Roads only  113 | 98

Information Centre 🛈

National Grid Reference ⁴47

Police Station ▲

Post Office ★

Toilet ▽

Toilet With Facilities for the Disabled ♿

## Scale

1:15,840

4 inches to 1 mile

| 0 | ¼ | ½ | ¾ mile |
| 0 | 250 | 500 | 750 | 1 kilometre |

### Geographers' A-Z Map Co. Ltd.

Head Office : Fairfield Road, Borough Green, Sevenoaks, Kent TN15 8PP  Telephone 01732 781000

Showrooms : 44 Gray's Inn Road, Holborn, London WC1X 8HX  Telephone 0171-242-9246

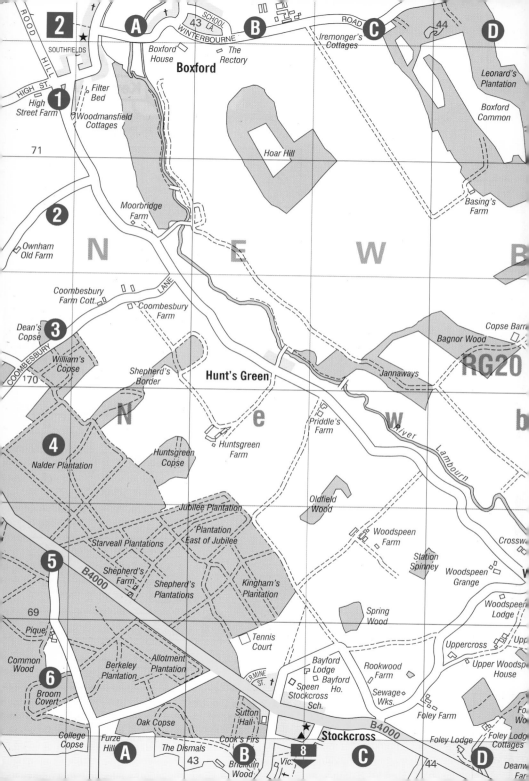

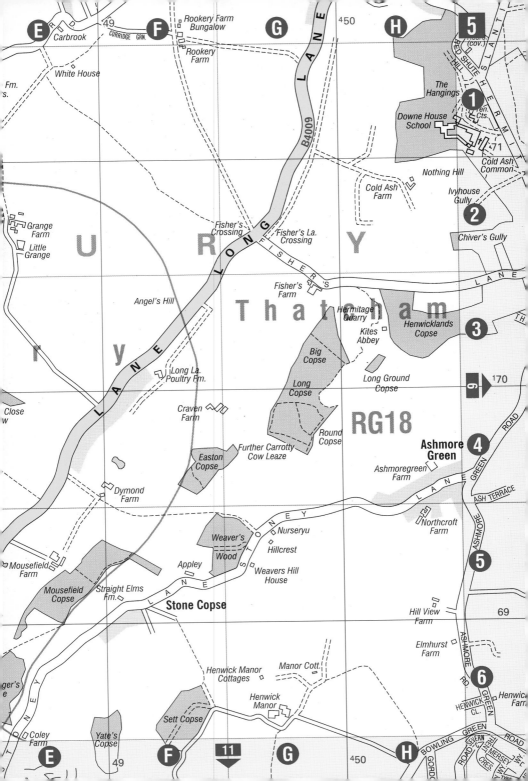

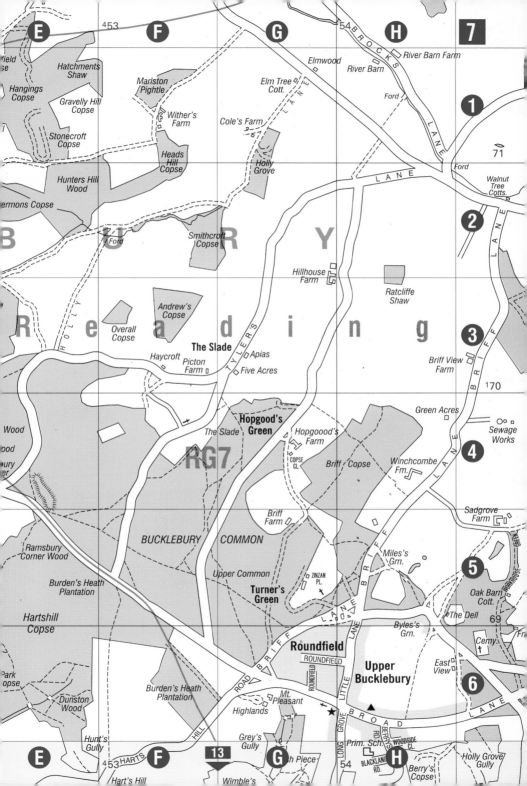

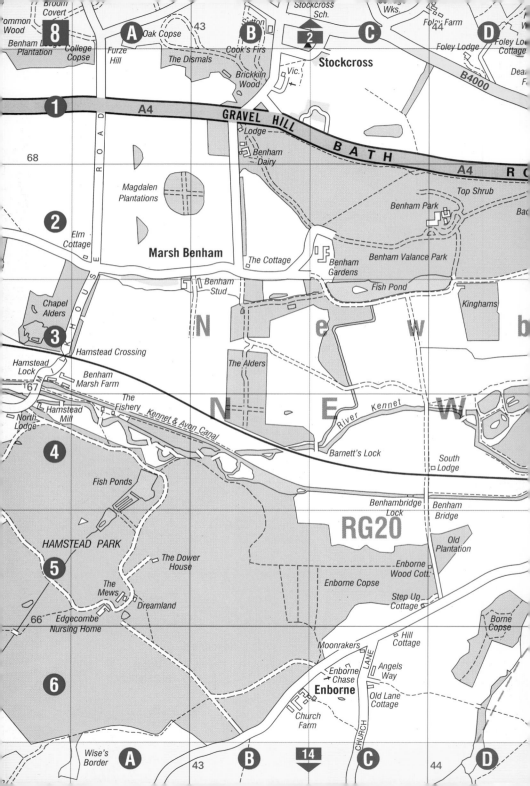

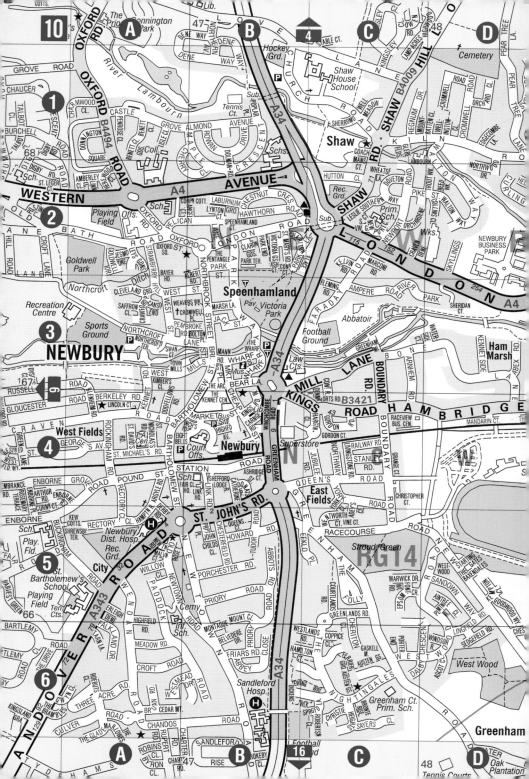

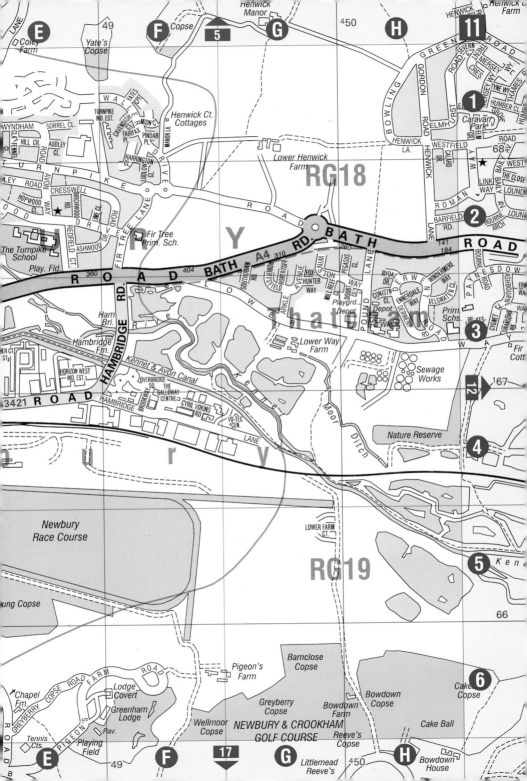

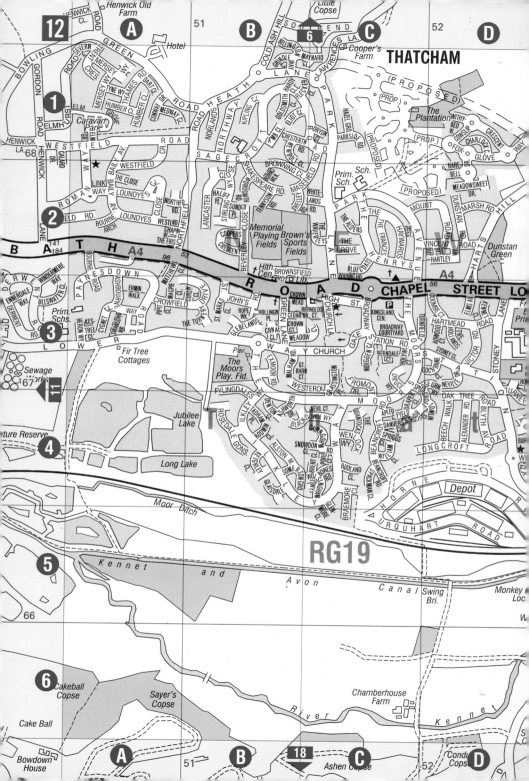

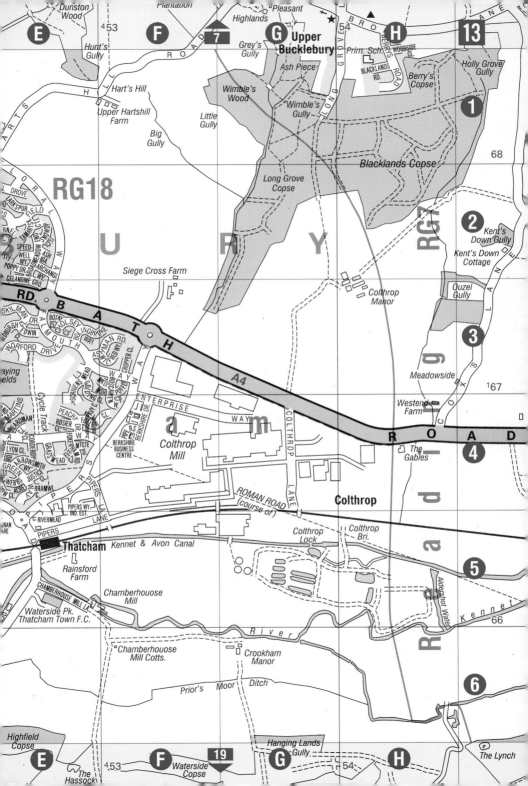

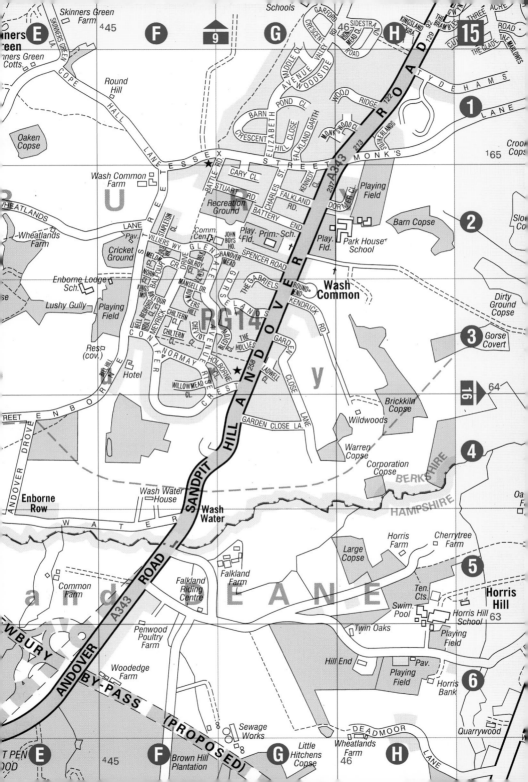

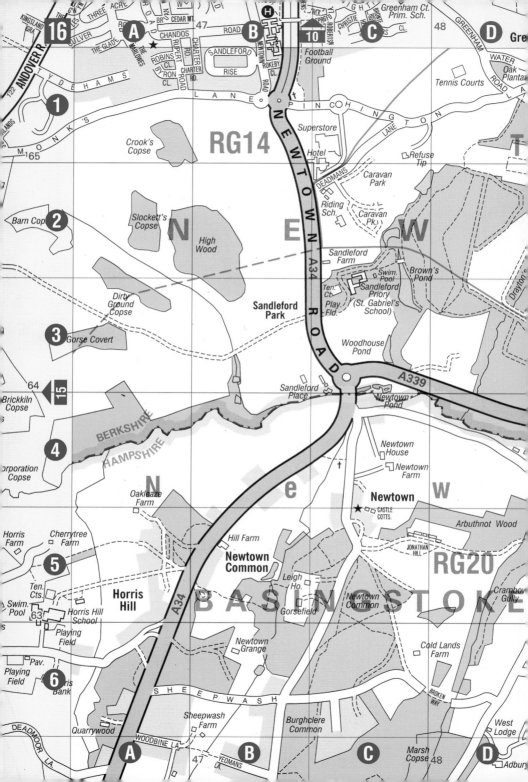

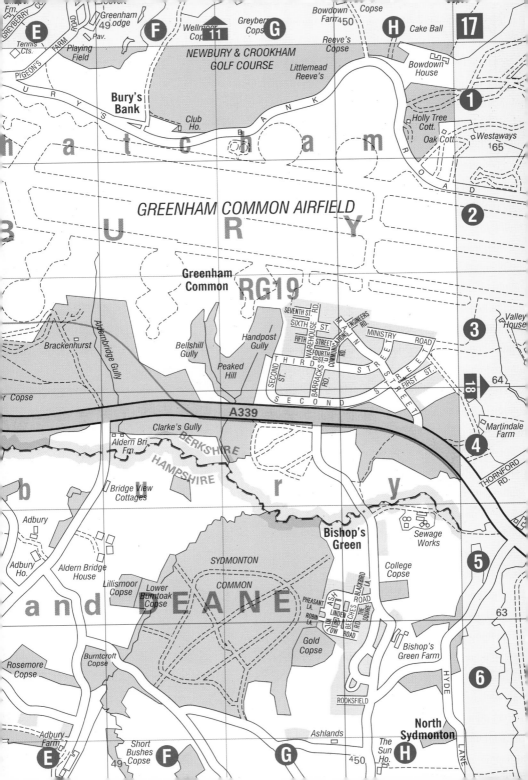

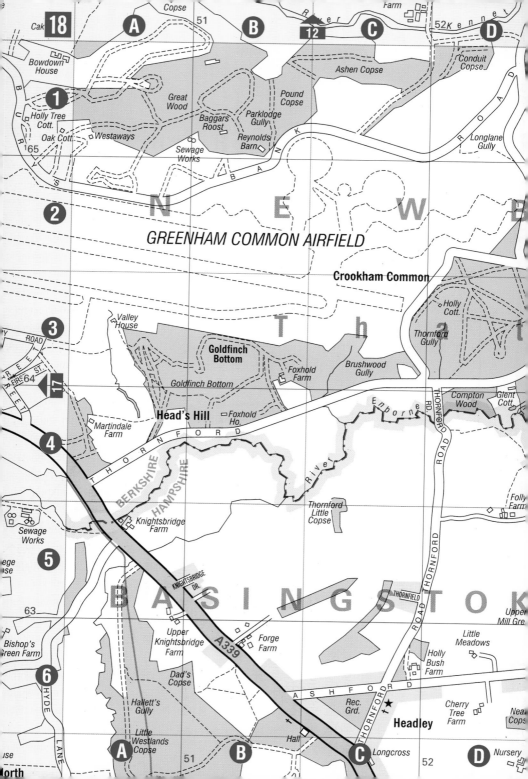

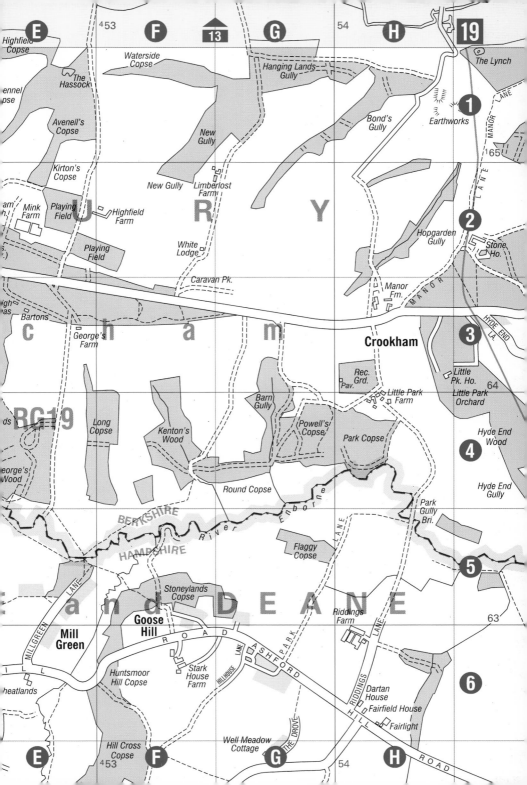

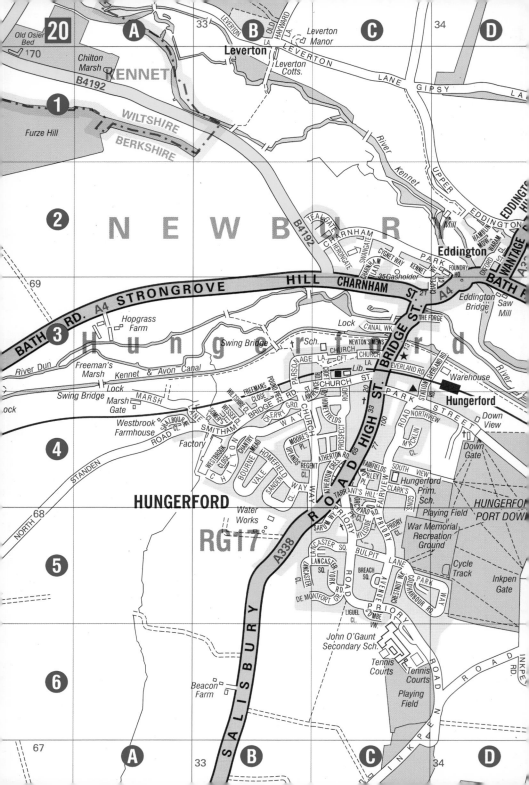

# INDEX TO STREETS

## HOW TO USE THIS INDEX

1. Each street name is followed by its Posttown or Postal Locality and then by its map reference; e.g. Abbots Rd. Newb —5B **10** is in the Newbury Posttown and is to be found in square 5B on page **10**. The page number being shown in bold type.
A strict alphabetical order is followed in which Av., Rd., St., etc. (though abbreviated) are read in full and as part of the street name; e.g. Ash Rd. appears after Ashridge Ct. but before Ash Ter.

2. Streets and a selection of Subsidiary names not shown on the Maps, appear in the index in *Italics* with the thoroughfare to which it is connected shown in brackets; e.g. *Chestnut Ct. Newb —2B **10** (off Victoria Gdns.)*

3. With the now general usage of Postcodes for addressing mail, it is not recommended that this index is used for such a purpose.

## GENERAL ABBREVIATIONS

All: Alley
App: Approach
Arc: Arcade
Av: Avenue
Bk: Back
Boulevd: Boulevard
Bri: Bridge
B'way: Broadway
Bldgs: Buildings
Bus: Business
Cen: Centre
Chu: Church
Chyd: Churchyard
Circ: Circle
Cir: Circus

Clo: Close
Comn: Common
Cotts: Cottages
Ct: Court
Cres: Crescent
Dri: Drive
E: East
Embkmt: Embankment
Est: Estate
Gdns: Gardens
Ga: Gate
Gt: Great
Grn: Green
Gro: Grove
Ho: House

Ind: Industrial
Junct: Junction
La: Lane
Lit: Little
Lwr: Lower
Mnr: Manor
Mans: Mansions
Mkt: Market
M: Mews
Mt: Mount
N: North
Pal: Palace
Pde: Parade
Pk: Park
Pas: Passage

Pl: Place
Rd: Road
S: South
Sq: Square
Sta: Station
St: Street
Ter: Terrace
Up: Upper
Vs: Villas
Wlk: Walk
W: West
Yd: Yard

## POSTTOWN AND POSTAL LOCALITY ABBREVIATIONS

Ashm G : Ashmore Green
Bagn : Bagnor
Been : Beenham
Ben H : Benham Hill
Bis G : Bishops Green
Box : Boxford
Brimp : Brimpton
Bckby : Bucklebury
Burc : Burghclere
Cold A : Cold Ash

Colt : Colthrop
Croc H : Crockham Heath
Crook C : Crockham Common
Cur : Curridge
Don : Donnington
E Wood : East Woodhay
Ecc : Ecchinswell
Edd : Eddington
Enb : Enborne
Green : Greenham

Hdly : Headley (Berkshire)
Henw : Henwick
Herm : Hermitage
Hung : Hungerford
Midg : Midgham
Newb : Newbury
Newt : Newtown
Newt C : Newtown Common
Pen : Penwood
Shaw : Shaw

Sil : Silchester
Speen : Speen
Stcks : Stockcross
That : Thatcham
Up Buck : Upper Bucklebury
Wash W : Wash Water
Woods : Woodspeen
Wool H : Woolton Hill

## INDEX TO STREETS

**A**bberbury Clo. Don —6H **3**
Abbey Clo. Newb —6B **10**
Abbots Rd. Newb —5B **10**
Abex Rd. Newb —3B **10**
Adey's Clo. Newb —5C **10**
Adwood Ct. That —3D **12**
Agricola Way. That —4D **12**
Aintree Clo. Green —5D **10**
Albert Rd. Newb —2B **10**
Alders, The. That —2C **12**
Alexander Rd. That —4D **12**
Almond Av. Newb —1B **10**
Alston M. That —4B **12**
Amberley Clo. Newb —2A **10**
Ampere Rd. Newb —3C **10**
Andover Drove. Wash W —4E **15**
Andover Rd. Newb —3G **15**
Andover Rd. Pen —6E **15**
Angel Ct. Newb —2B **10**
Annerdale. Cold A —3B **6**
Appleford Clo. That —4C **12**
Arcade, The. Newb —3B **10**
Archangel Way. That —2E **13**
Argyle Rd. Newb —4A **10**
Arkle Av. That —3G **11**
Arlington La. Newb —1H **3**
Arnhem Rd. Newb —3C **10**
Arrowsmith Way. That —4E **13**
Arthur Rd. Newb —4H **9**
Ascot Clo. Green —6D **10**
Ashbourne Way. That —3A **12**
Ash Ct. Newb —2B **10**
Ashford Hill Rd. Hdly —6C **18**
Ash Ga. That —2E **13**
Ashman Rd. That —3F **13**
Ashmore Grn. Rd. Cold A —5A **6**

Ashridge Ct. Newb —4B **10**
Ash Rd. Bis G —5G **17**
Ash Ter. Ashm G —4A **6**
Ashwood Dri. Newb —2E **11**
Ashworth Dri. That —4B **12**
Atherton Cres. Hung —4C **20**
Atherton Rd. Hung —4C **20**
Audley Clo. Newb —1E **11**
Austen Gdns. Newb —6C **10**
Avon Way. Newb —2E **11**

**B**agnols Way. Newb —4H **9**
Baily Av. That —2A **12**
Balfour Cres. Newb —3F **15**
Barfield Rd. That —2H **11**
Barley Clo. That —4E **13**
Barn Cres. Newb —1G **15**
Barracks Rd. Green —3G **17**
Bartholomew St. Newb —4A **10**
Bartlemy Clo. Newb —6H **9**
Bartlemy Rd. Newb —6H **9**
Bath Rd. Colt —3E **13**
Bath Rd. Edd —3D **20**
Bath Rd. Hung —3A **20**
Bath Rd. Newb —1C **8**
Bath Rd. That —2G **11**
Battery End. Newb —2G **15**
Battle Clo. Speen —2G **9**
Battle Rd. Newb —2F **15**
Baxendales, The. Green —5D **10**
Bayer Ho. Newb —2A **10**
Beancroft Rd. That —4C **12**
Bear La. Newb —3B **10**
Bedford Clo. Newb —3F **15**
Beeches Rd. Bis G —5H **17**

Beech Wlk. That —4D **12**
Bell Hill. Newb —3F **15**
Bell Holt. Newb —3F **15**
Belvedere Dri. Newb —6B **10**
Bennett Clo. Newb —1A **10**
Bennett Clo. Gdns. Newb —1A **10**
Berkeley Rd. Newb —4A **10**
Berkshire Bus. Cen. That —4F **13**
Berkshire Dri. That —4F **13**
Berrys Rd. Up Buck —6H **7**
Betteridge Rd. That —4E **13**
Beverley Clo. That —2B **12**
Birchwood Rd. Newb —2E **11**
Blackbird La. Bis G —5H **17**
Blackdown Way. That —4B **12**
Blacklands Rd. Up Buck —1H **13**
Bledlow Clo. Newb —3G **15**
Blenheim Rd. Newb —4A **10**
Bluecoats. That —2C **12**
Blyth Av. That —4D **12**
Boames La. Enb —2C **14**
Bodmin Clo. That —4B **12**
Bolingbroke Way. That —3E **13**
Bolton Pl. Newb —3B **10**
Bone La. Newb —3C **10**
Bonemill La. Enb —4G **9**
Boscawen Way. That —3F **13**
Botany Clo. That —3E **13**
Boundary Rd. Newb —3C **10**
Bourne Arch. That —2A **12**
Bourne Cotts. Wool H —5C **14**
Bourne Rd. That —2A **12**
Bourne Vale. Hung —4B **20**
Bowes Rd. That —4C **12**
Bowling Grn. Rd. That —1H **11**
Braemore Clo. That —5C **12**

Brambles, The. Newb —6H **9**
Bramwell Clo. That —4E **13**
Braunfels Wlk. Newb —4H **9**
Breach Sq. Hung —5C **20**
Brent Clo. That —4C **12**
Bridge St. Hung —3C **20**
Bridge St. Newb —3B **10**
Briff La. Been —6G **7**
Briff La. Up Buck —6G **7**
Broad La. Up Buck —6H **7**
Broadmeadow End. That —2E **13**
Broadway. That —3C **12**
Broadway Courtyard. That —3C **12**
Brocks La. Bckby —1H **7**
Broken Way. Newt —6D **16**
Bronte Rise. Green —6C **10**
Brooks Rd. That —2D **12**
Brookway. Newb —4F **9**
Browning Clo. That —2B **12**
Brownsfield Rd. That —2B **12**
Bruan Rd. Newb —6A **10**
Brummell Rd. Newb —2H **9**
Buchanan Sq. That —5E **13**
Buckingham Rd. Newb —5H **9**
Bulpit La. Newb —5C **20**
Bunkers Hill. Newb —3F **15**
Burchell Rd. Newb —1H **9**
Burdwood Cen. That —4D **12**
Burns Wlk. That —2B **12**
Bury's Bank Rd. Green —1E **17**
Butson Clo. Newb —3H **9**
Byron Clo. Newb —1A **16**

**C**airngorm Rd. That —4C **12**
Calard Dri. That —1H **11**

*A-Z Newbury 21*

Canal Wlk. Hung —3C **20**
Cansfield End. Newb —3A **10**
Carnegie Rd. Newb —4B **10**
Cary Clo. Newb —2G **15**
Castle Cotts. Newt —5C **16**
Castle Gro. Newb —1A **10**
Castle La. Don —6H **3**
Catherine Rd. Newb —4B **10**
Caunter Rd. Speen —2G **9**
Cavendish Ct. Newb —1F **11**
Cedar Gro. That —3B **12**
Cedar Mt. Newb —6A **10**
Celandine Gro. That —2E **13**
Chalford Rd. Newb —4H **9**
Chalky La. Cur —1D **4**
Chamberhouse Mill La. That
—5E **13**
Chandos Rd. Newb —6A **10**
Chantry Mead. Hung —4B **20**
Chapel Ct. Hung —3D **20**
Chapel St. That —3C **12**
Chapman Wlk. That —2A **12**
Charles St. Newb —2G **15**
Charlock Clo. That —1D **12**
Charlton Pl. Newb —2B **10**
Charmwood Clo. Newb —1A **10**
Charnham La. Hung —2C **20**
Charnham Pk. Hung —2C **20**
Charnham St. Hung —3C **20**
Charter Rd. Newb —1A **16**
Chase, The. Don —5A **4**
Chaucer Cres. Newb —1H **9**
Cheap St. Newb —4B **10**
Cheriton Clo. Newb —6C **10**
Cherry Clo. Newb —1A **10**
Cherry Gro. Hung —4B **20**
Chester Clo. Green —6D **10**
Chesterfield Rd. Newb —5B **10**
Chesterton Rd. Newb —1B **12**
*Chestnut Ct. Newb —2B* **10**
*(off Victoria Gdns.)*
Chestnut Cres. Newb —2B **10**
Chestnut Wlk. Newb —5C **20**
Cheviot Clo. Newb —3F **15**
Chiltern Clo. Newb —3F **15**
Chilton Way. Hung —4B **20**
Cholsey Clo. That —3E **13**
Christie Heights. Green —6C **10**
Christopher Ct. Newb —4C **10**
Church Clo. Croc H —2B **14**
Church Croft. Hung —3C **20**
Church Ga. That —3C **12**
Church La. Croc H —2B **14**
Church La. Hung —3C **20**
Church La. Speen —2G **9**
Church La. That —3C **12**
Church Rd. Shaw —1B **10**
Church St. Hung —3C **20**
Church Way. Hung —4B **20**
Clarendon Gdns. Newb —2B **10**
Clark's Gdns. Hung —4C **20**
Clay Hill Cres. Newb —1E **11**
Cleveland Gro. Newb —3A **10**
Clifton Rd. Newb —4H **9**
Close, The. That —2A **12**
Coachmans Clo. Newb —1C **10**
Cochrane Clo. That —3D **12**
Cold Ash Hill. Cold A —3B **6**
Coldharbour Rd. Hung —5C **20**
Collaroy Rd. Cold A —5B **6**
Collins Clo. Newb —2D **10**
Colthrop La. That —4G **13**
Combe View. Hung —5C **20**
Common Rd. Hdly —6D **18**
Communications Rd. Green
—3G **17**
Conifer Crest. Newb —3F **15**
Coniston Clo. That —3H **11**
Coniston Ct. Newb —2B **10**
Connaught Rd. Newb —3C **10**
Conway Dri. That —1A **12**
Coombe Ct. That —3D **12**

Coombesbury La. Stcks —3A **2**
Coopers Cres. That —2B **12**
Cope Hall La. Newb —1E **15**
Coppice Clo. Newb —6C **10**
Copse Clo. Up Buck —4G **7**
Corderoy Clo. That —4E **13**
Corporation Cottage. Newb
—2A **10**
Costa Clo. Newb —1G **9**
Courtlands Rd. Newb —5C **10**
Court, The. That —2C **12**
Cowslade. Speen —1G **9**
Cowslip Cres. That —1D **12**
Coxeter Rd. Newb —2H **9**
Cox's La. Midg —4H **13**
Craven Dene. Newb —2C **10**
Craven Rd. Newb —4H **9**
Crawford Pl. Newb —3A **10**
Cresswell Rd. Newb —2E **11**
Croft La. Newb —2H **9**
Croft Rd. Hung —3C **20**
Croft Rd. Newb —6A **10**
Cromwell Pl. Newb —3B **10**
Cromwell Rd. Newb —1D **10**
Cromwell Ter. Speen —1G **9**
Cropper Clo. That —3F **13**
Crowfield Dri. That —3A **12**
Crown Acre Clo. That —3B **12**
Crown Ct. That —3B **12**
Crown Mead. That —3B **12**
Culver Rd. Newb —6A **10**
Curlew Clo. That —3B **12**
Curling Way. Newb —2D **10**
Curnock Ct. Newb —5H **9**
Curridge Grn. Cur —1F **5**
Curridge Rd. Cur —1B **4**
Cygnet Clo. That —3A **12**
Cygnet Way. Hung —2C **20**
Cyril Vokins Rd. Newb —4F **11**

Dalby Cres. Green —6C **10**
Danvers Clo. Newb —4C **12**
Dart Clo. That —1A **12**
Deadmans La. Green —2C **16**
Deadmoor La. Newt —6H **15**
Deanwood Ho. Stcks —1E **9**
De Montfort Cres. Hung —5B **20**
De Montfort Rd. Speen —1H **9**
Dene Way. Don —1A **10**
Denmark Rd. Newb —4C **10**
Denton Clo. That —4B **12**
Derby Rd. Newb —5A **10**
Derwent Rd. That —3H **11**
Dewberry Clo. That —2E **13**
Dickens Wlk. Newb —6B **10**
Digby Rd. Newb —2H **9**
Dolman Rd. Newb —1B **10**
Donnington Lodge. Don —5A **4**
Donnington Sq. Newb —1A **10**
Dormer Clo. Newb —2H **15**
Doublet Clo. That —3H **11**
Doveton Way. Newb —2C **10**
Draper Clo. That —4C **12**
Drive, The. Newb —6H **9**
Drove La. Cold A —2A **6**
Drove, The. Hdly —6G **19**
Druce Way. That —3C **12**
Dryden Clo. That —1C **12**
Dunstan Rd. Newb —2D **12**
Dysons Clo. Newb —3H **9**

Eddington Hill. Edd —2D **20**
Edgecombe La. Newb —1D **10**
Edwin Clo. That —3E **13**
Eeklo Pl. Newb —5C **10**
Eight Bells. Newb —4A **10**
Eliot Clo. That —1B **12**
Elizabeth Av. Newb —1G **15**
Elm Cotts. Wool H —6C **14**
Elm Gro. That —1A **12**

Elmhurst Rd. That —1H **11**
Elms Av. That —3D **12**
Enborne Ct. Newb —5G **9**
Enborne Gro. Newb —4H **9**
Enborne Pl. Newb —4H **9**
Enborne Rd. Newb —5F **9**
Enborne St. Enb & Newb —4C **14**
Engineers Rd. Green —3H **17**
Ennerdale Way. That —3H **11**
Enterprise Way. That —4F **13**
Epsom Cres. Green —5C **10**
Erleigh Dene. Newb —5A **10**
Ermine St. Stcks —6B **2**
Ermin Wlk. That —3A **12**
Essex St. Newb —1F **15**
Everland Rd. Hung —3C **20**
(in two parts)
Evreux Clo. That —4E **13**
Ewing Way. Newb —6B **10**
Exmoor Rd. That —3B **12**

Fair Clo. Ho. Newb —4B **10**
Fairfax Pl. Newb —1F **11**
Fairfields. Hung —4C **20**
Fairview Rd. Hung —4C **20**
Falkland Dri. Newb —6A **10**
Falkland Garth. Newb —1G **15**
Falkland Rd. Newb —2G **15**
Falmouth Way. That —3E **13**
Faraday Rd. Newb —3C **10**
Fence La. Herm —1C **6**
Fennel Clo. Newb —1E **11**
Ferndale Ct. That —3C **12**
Ferrer Gro. Newb —6C **10**
Fifth Rd. Newb —5G **9**
Fifth St. Green —3G **17**
First St. Green —3H **17**
Fir Tree La. Newb —2F **11**
Fisher's La. Cold A —2G **5**
Flag Staff Sq. That —4E **13**
Flecker Clo. That —1B **12**
Fleming Rd. Newb —3C **10**
Floral Way. That —1D **12**
Fokerham Rd. That —4E **13**
Folly, The. Newb —5C **10**
Fontwell Rd. Green —5C **10**
Forge, The. Hung —3C **20**
Foundry Ho. Hung —2D **20**
Fourth St. Green —3G **17**
Foxglove Way. That —1D **12**
Fox Hunter Way. That —3G **11**
Frances, The. That —2C **12**
Freemans Clo. Hung —4B **20**
Friars Rd. Newb —6B **10**
Fromont Dri. That —3C **12**
Fuller Clo. That —4E **13**
Fyfield Rd. That —4C **12**
Fylingdales. That —3B **12**

Gabriels, The. Newb —3G **15**
Galloway Cen., The. Newb —4F **11**
Garden Clo. La. Newb —3G **15**
Garford Cres. Newb —6G **9**
Gaskell M. Newb —6C **10**
Gaywood Dri. Newb —2E **11**
Gilroy Clo. Newb —2F **15**
Gipsy La. Edd —1D **20**
Glade, The. Newb —6A **10**
Gladstone La. Cold A —4B **6**
Glaisdale. That —4B **12**
Glebe Fields. Newb —1C **10**
Glebelands. That —3B **12**
Glendale Av. Newb —2F **15**
Glenmore Clo. That —4C **12**
Gloucester Rd. Newb —2E **11**
*Goldfinch La. Bis G —5G* **17**
*(off Linden Rd.)*
Golding Clo. That —3E **13**
Goldsmith Clo. That —1B **12**

Goldwell Dri. Newb —2A **10**
Goodwood Way. Green —5D **10**
Goose Grn. Way. That —3D **12**
Gordon Ct. Newb —4C **10**
Gordon Rd. Newb —4C **10**
Gordon Rd. That —1H **11**
Gorselands. Newb —3G **15**
Grange Ct. Newb —4C **10**
Grassington Pl. That —3C **12**
Grassmead. That —4E **13**
Gravel Hill. Stcks —1B **8**
Gt. Barn Ct. That —3B **12**
Greenham Mill. Newb —3C **10**
Greenham Rd. Newb & Green
—4B **10**
Greenlands Rd. Newb —5C **10**
Green La. Newb —4H **9**
Green La. That —3B **12**
Greyberry Copse Rd. That —6E **11**
Griffiths Clo. That —4E **13**
Grindle Clo. That —1B **12**
Groombridge Pl. Don —6H **3**
Groveland Rd. Speen —1G **9**
Grove Rd. Newb —1G **9**
Grove, The. That —2C **12**
Gwyn Clo. Newb —6A **10**

Halifax Pl. That —2B **12**
Hamblin Meadow. Edd —2D **20**
Hambridge La. Newb —4F **11**
Hambridge Rd. Newb —4C **10**
Hamilton Clo. Newb —6B **10**
Hammond Clo. That —4E **13**
Hanover Mead. Newb —2G **15**
Hardy Clo. That —1B **12**
Harebell Dri. That —2D **12**
Harewood Dri. Cold A —4B **6**
Harrington Clo. Newb —4C **10**
(King's Rd.)
Harrington Clo. Newb —1F **11**
(Waller Dri.)
Hartley Way. That —2D **12**
Hartmead Rd. That —3D **12**
Harts Hill Rd. That & Up Buck
—2D **12**
Harvest Grn. Newb —5H **9**
Harwood Rise. Wool H —6C **14**
(in two parts)
Hatchgate Clo. Cold A —6B **6**
Hawthorn Rd. Newb —2B **10**
Haywards, The. That —2C **12**
Hazel Gro. That —1C **12**
Heardman Clo. That —4E **13**
Heath La. Henw —1B **12**
Hedge Way. Newb —2D **10**
Henrys, The. That —2C **12**
Henshaw Cres. Newb —6G **9**
Henwick Clo. Henw —6A **6**
Henwick La. That —1H **11**
Herewood Clo. Newb —2A **10**
Hermitage Rd. Cold A —1A **6**
Herongate. Hung —2C **20**
Heron Way. That —3A **12**
Highfield Av. Newb —4B **10**
Highfield Rd. Newb —5A **10**
High St. Boxford, Box —1A **2**
High St. Hungerford, Hung
—4C **20**
High St. Thatcham, That —3C **12**
Highwood. Shaw —6C **4**
Hill Clo. Newb —1G **15**
Hill Rd. Newb —2H **9**
Hillside Rd. Hung —5C **20**
Hobley La. Wool H —6A **14**
Holborne Clo. Newb —3F **15**
Hollands, The. That —3D **12**
Hollies, The. Newb —3G **15**
Hollington Pl. That —3B **12**
Holly La. Sil —3E **7**
Holywell Ct. That —3C **12**
Homefield Way. Hung —4B **20**